D0533686

EDGE
FRANKLIN WATTS
N•SYDNEY

ALIEN CAGE

The year is 2220 AD.

The Creeton's left their home planet
Serra 11 when it became too hot.

They came to Earth.
They fought the human race...
...and won.

Now the humans have to work for the
Creetons and their cruel robots. The humans
live in cages.

Jed and Tia are two of those humans...

First published in 2012 by
Franklin Watts
338 Euston Road
London NW1 3BH

Franklin Watts Australia
Level 17/207 Kent Street
Sydney, NSW 2000

A CIP catalogue record for this book
is available from the British Library.

ISBN: 978 1 4451 1322 7

Series Editors: Adrian Cole and Jackie Hamley
Series Advisors: Diana Bentley and Dee Reid
Series Designer: Peter Scoulding

A paperback original

1 3 5 7 9 10 8 6 4 2

Printed in China

Franklin Watts is a division of
Hachette Children's Books,
an Hachette UK company
www.hachette.co.uk

In a Creeton warehouse on Earth.
What do they do with this old junk?
I have no idea, but I'm sick of loading trucks!
I have an escape plan.
Shut up and get in!
Back to your cages!

Back at the cages.
I hope this plan works.
AARRGH
Help us! Tia is hurt!

Stand back humans!
Now! De-activate them!
Jed and Tia put on the robot suits.

Find out how the Creetons and their robots survive on Earth!
You've got to find the Power Centre!
Humans are out of their cage.
Stop them!
RUN!

Jed and Tia find the Power Centre.
How do we get inside?
Getting in should be OK.
Getting out might be harder...
Look! A door.
So that's where the trucks go.

TOP SECRET
Let's go in there.
TOP SECRET

What are they making?
It must be a weapon!

Got you!
You are coming with me.

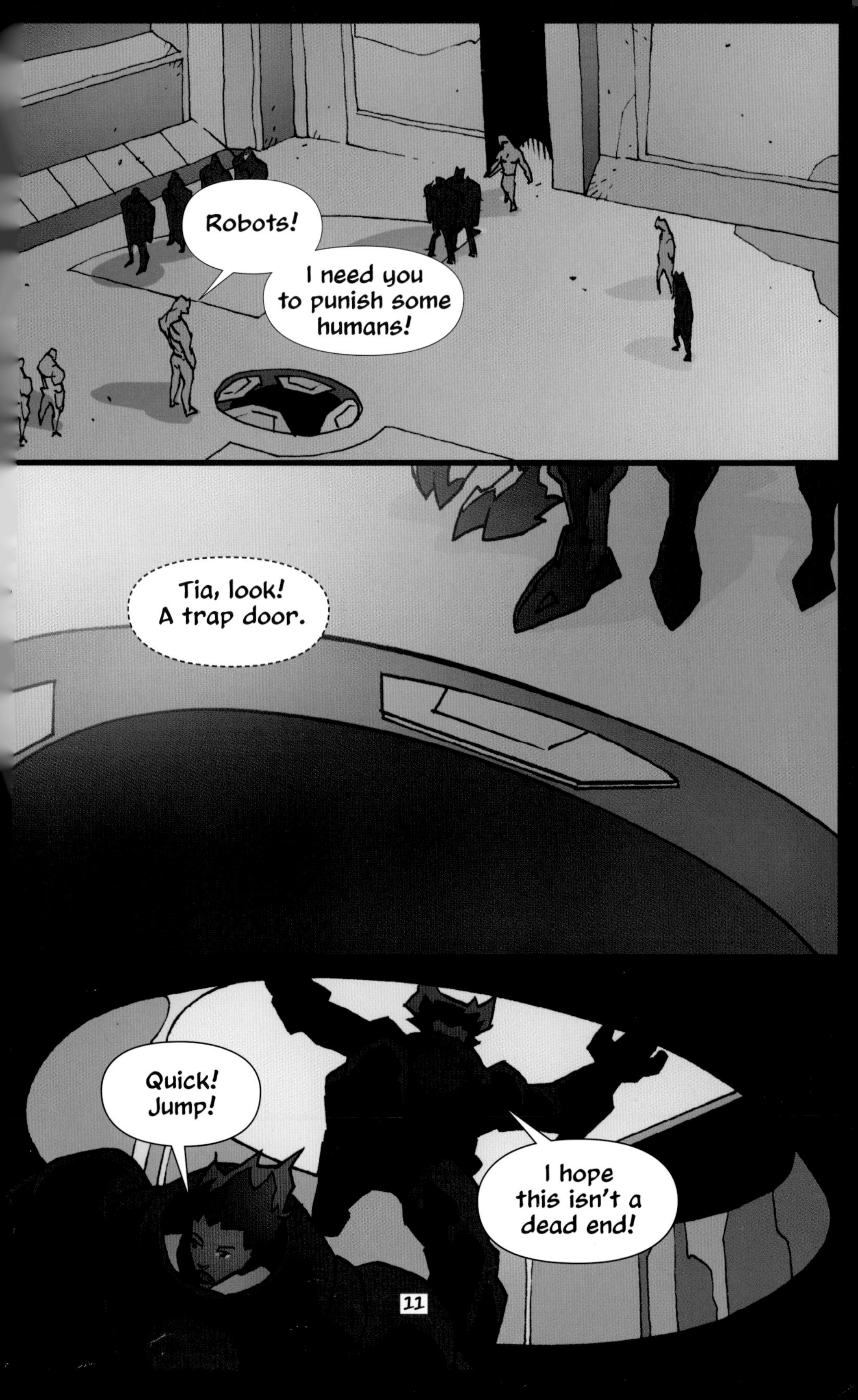
Robots!
I need you to punish some humans!
Tia, look! A trap door.
Quick! Jump!
I hope this isn't a dead end!

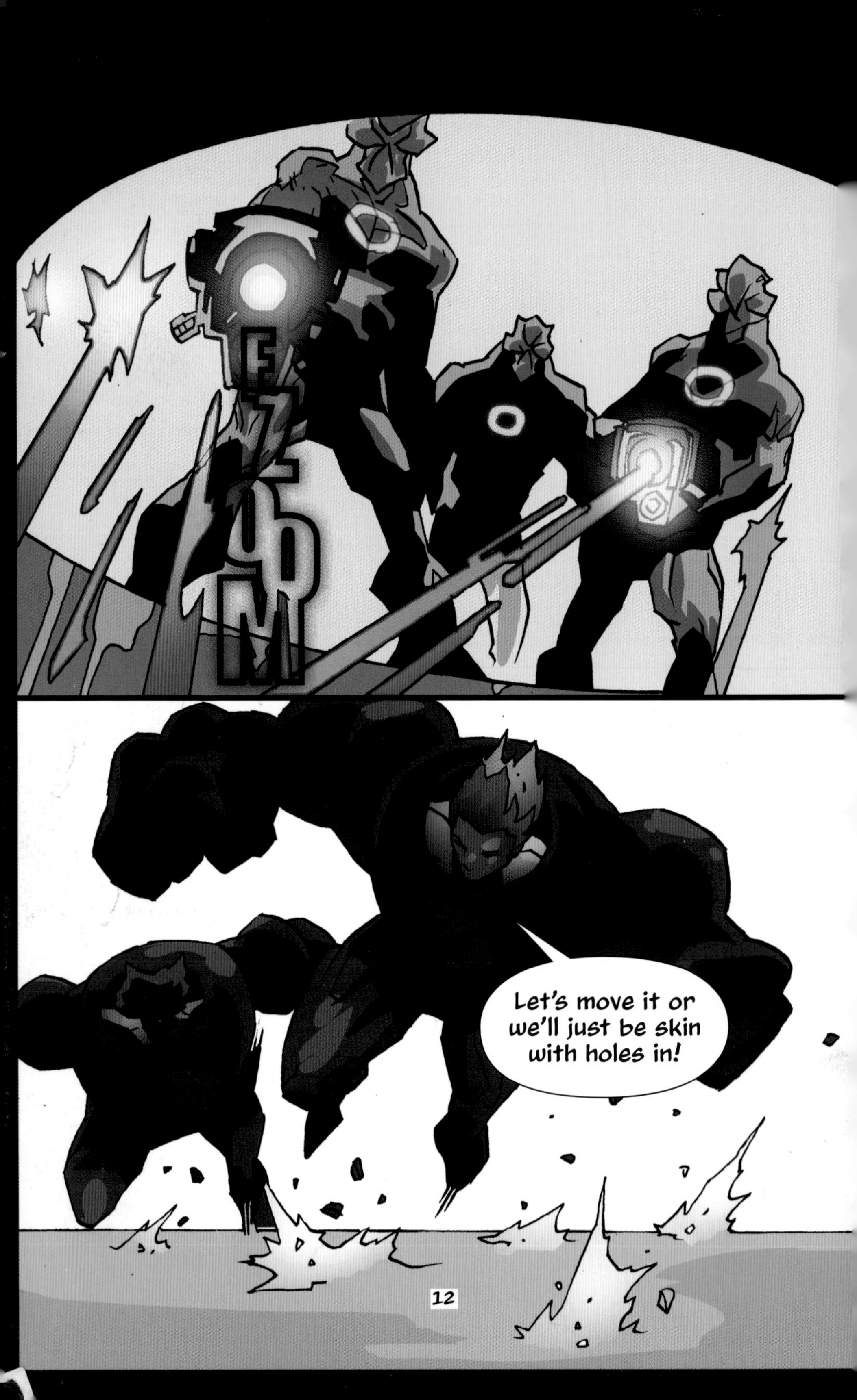
FZZOOM
Let's move it or we'll just be skin with holes in!

Look! There's a light.
Easy does it...

They must make the weapon in that tower.

Let's go round the back.
We could get in up there.

They're not making a weapon!
It's how they keep themselves cool!

We need to find something hot!
We can use these hot rocks.

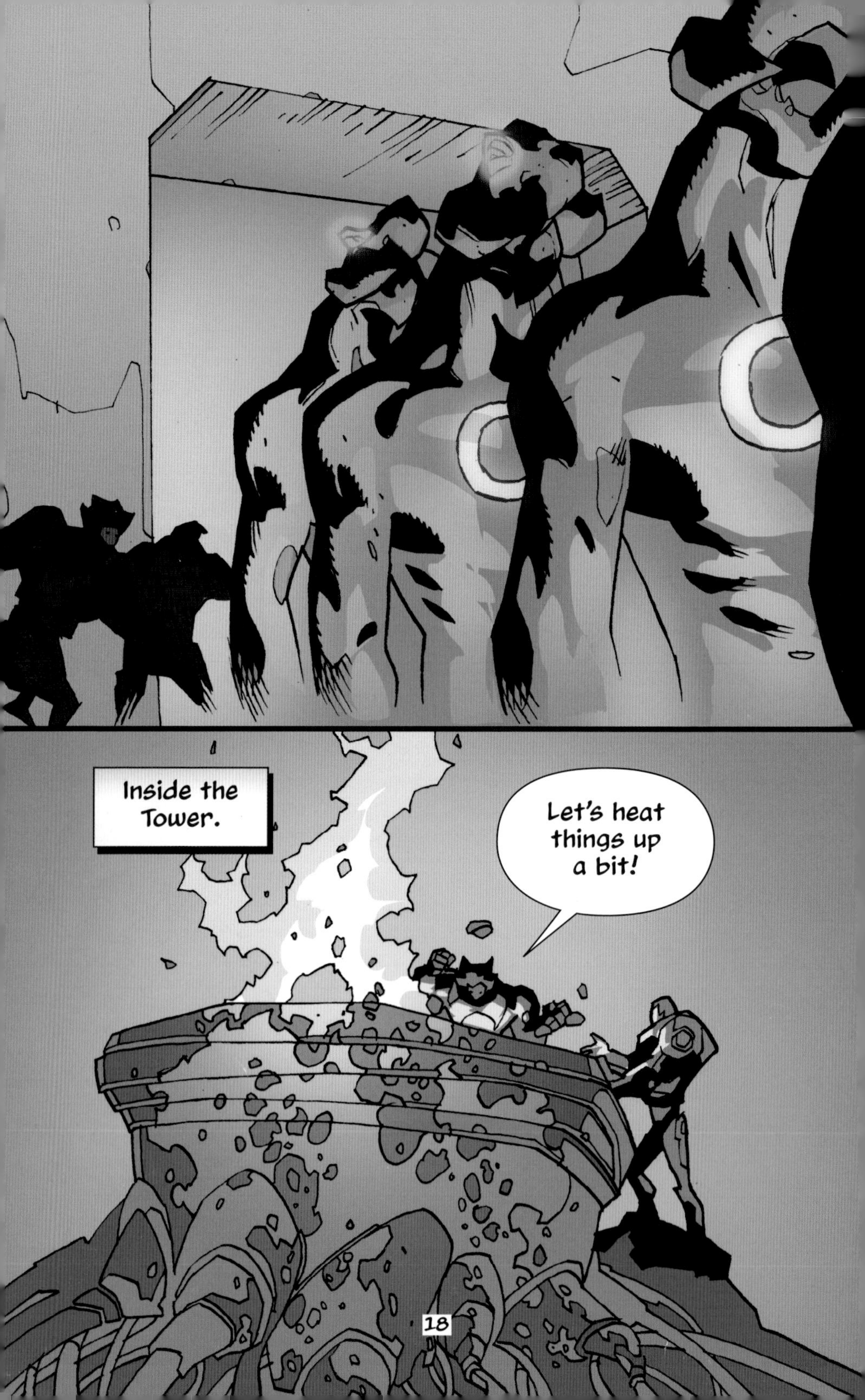
Inside the Tower.
Let's heat things up a bit!

HEY!
Stop right there!
Alert! Alert!
Humans in the Tower!

RUN!
Back to the cages!
Let's get rid of these.
Quick! Run faster.

I'll kill you!
BOOM
Time to die!

Help!
My Core is
heating up!
Jed! It's
working!
He's
getting
hot!

Back at the cages.
The Creetons are all dead!
The robots have stopped working, too. Let's go and unlock the cages.

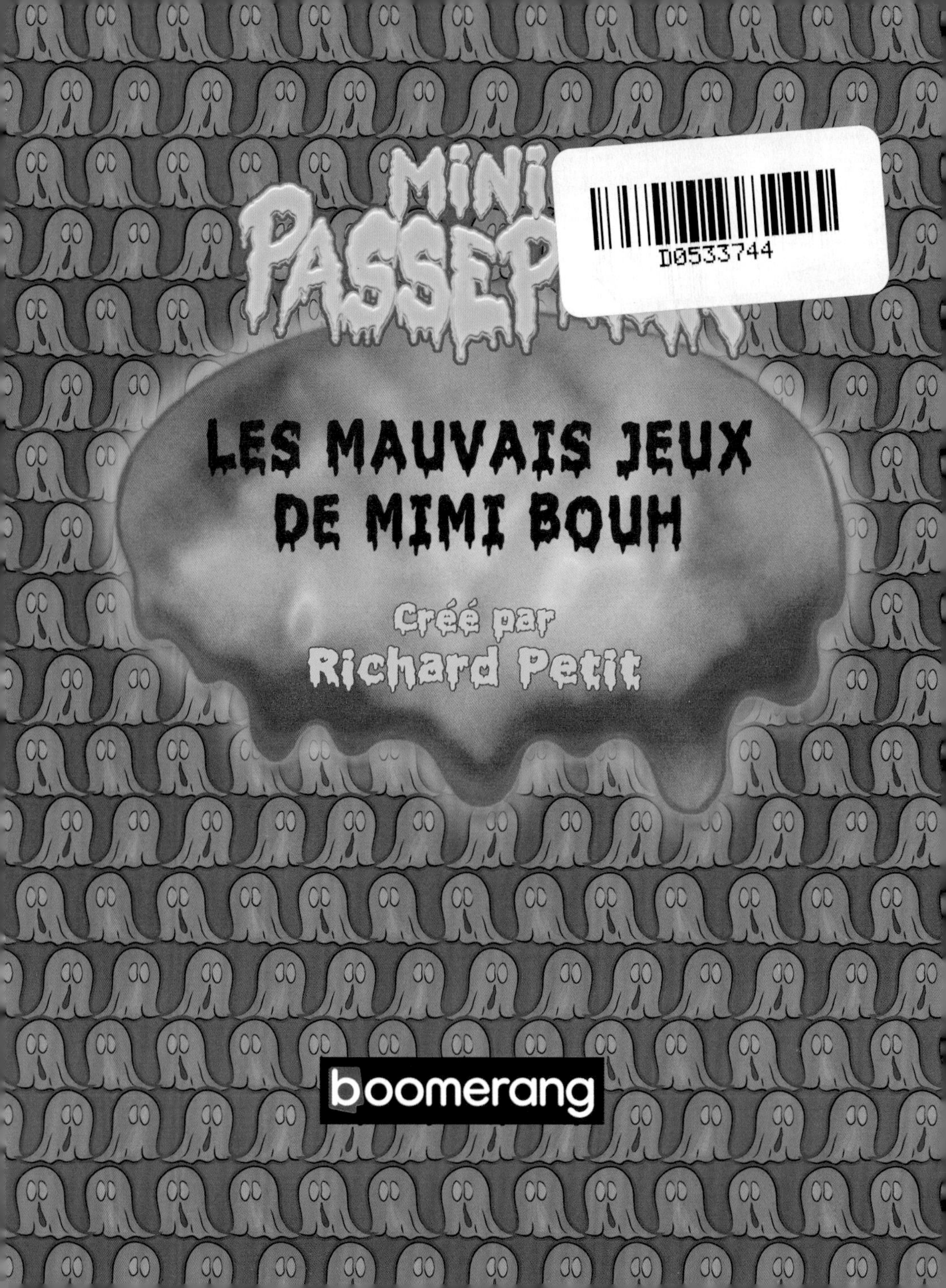
MINI PASSEP
LES MAUVAIS JEUX
DE MIMI BOUH
Créé par
Richard Petit
boomerang

2e impression : janvier 2014

Créé par Richard Petit

Dépôt légal : Bibliothèque et Archives
nationales du Québec, 1er trimestre 2013

ISBN : 978-2-89595-688-4

Imprimé au Canada

Gouvernement du Québec - Programme de crédit d'impôt
pour l'édition de livres - Gestion SODEC

Boomerang éditeur jeunesse remercie la SODEC
pour l'aide accordée à son programme éditorial.

Nous reconnaissons l'aide financière
du gouvernement du Canada par l'entremise
du Fonds du livre du Canada (FLC)
pour nos activités d'édition.

www.boomerangjeunesse.com

Alors que tu t'amuses
au parc avec ton ami Bobbi,
une silhouette un peu trop
familière s'approche de vous,
à la page 6.
Page 1

OH NON!
Cette petite sorcière a commencé à transformer les gens en petits blocs de construction en plastique.
ZZZLLLZZZ!
8
5
13
Page 2

VITE!

Rends-toi à la page inscrite à l'endroit où tu veux aller.

Tu as de la chance! Les vilains minous de Mimi Bouh ont décidé de t'aider dans ton aventure.

Ensemble, ils te disent de retourner à la page ?

Le clown pas drôle a une devinette pour toi!

Qu'est-ce qui est plus gros qu'un autobus scolaire, qui a 3 bouches, 8 pattes et en plus de longues griffes?

Je ne le sais pas moi non plus, mais tu ferais mieux de t'enfuir!

Si tu as ri,
va à la page 34.

Si tu n'as pas ri,
va à la page 19.

Remets dans le bon ordre les 4 cases de la bande dessinée. Si tu penses que le bon ordre est A, B, D, C, va à la page 25. Si tu crois que c’est plutôt A, D, B, C, va à la page 11.

Bien joué!
Bobbi et toi retombez dans le tuyau, qui vous ramène cette fois-ci à la page 2.
Page 7

Monté sur la structure, Bobbi aperçoit 4 avions qui volent dans sa direction. Un seul de ces avions fonce directement sur lui. Lequel?

Celui de Mimi Bouh? Va à la page 32.

Celui du ver vert? Va à la page 18.

Celui du clown pas drôle? Va à la page 25.

Ou celui du mauvais-homme de neige? Va à la page 24.

KO

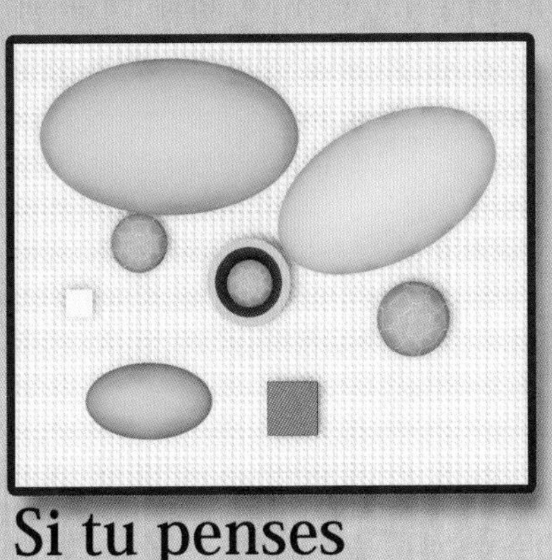

Si tu penses que c'est celle-ci, va à la page 24.

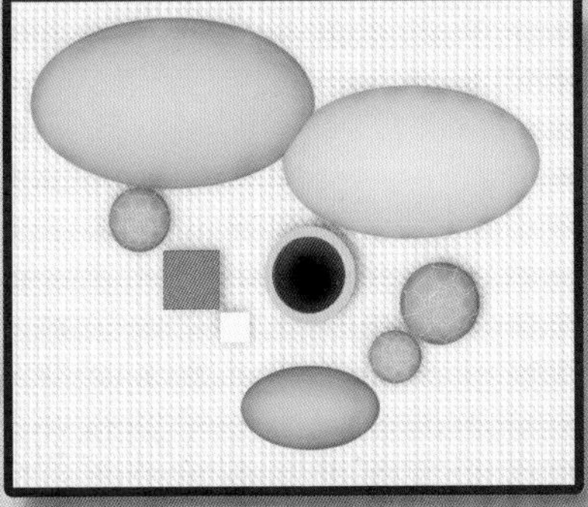

Si tu crois plutôt que c'est celle-là, va à la page 7.

Aussitôt entrés dans le tuyau, Bobbi et toi êtes projetés haut dans les airs comme des boulets de canon. Laquelle des 2 images à gauche est la bonne vue du sol que vous avez d'en haut?

C'est la très méchante Mimi Bouh. Va à la page 2.
Page 11

Mais zut! Le clown pas drôle ne veut plus te dire par où tu dois passer pour terminer ton aventure!

Cependant, es-tu capable de voir à quoi il pense?

Retourne à la page 2.

Voilà! Mimi Bouh a mis un gros bloc sur votre chemin afin de vous empêcher de fuir. Cependant, si tu réussis à trouver laquelle de ces images représente les 6 faces du cube déplié, tu pourras continuer de jouer. Si tu crois que c'est l'image «A», va à la page 26. Si tu penses que c'est l'image «B», rends-toi à la page 18.

Mal joué!
Malgré tout, vous vous êtes fait de nouveaux amis monstres, qui se sont très attachés à vous...
MAUVAISE FIN
Page 14

ZUT! DE ZUT!
MAISON HANTÉE!
Il faut épeler :
M-A-I-S-O-N H-A-N-T-É-E!
Allez!
C'est même un fantôme
qui te le dit, alors...

Retourne à la page 2.

ZUT! Mauvaise réponse.

Bobbi et toi terminez malheureusement votre aventure prisonniers d'une boule de Noël...

Page 16

Pourchassé par Mimi Bouh,
tu dois maintenant marcher
sur les structures du parc
sans tomber.
Avec tes doigts posés sur
la page, avance jusqu'à
la fleur verte,
à la page 28.

ZUT!

Mais ne t'en fais pas! Nous serons toujours près de toi!
MAUVAISE FIN

Avec tes 2 amis, Bobbi et Woodi,
tu n'auras plus jamais peur dans le noir,
car ils seront toujours là avec toi...

Page 18

Compte ces blocs de construction et tu sauras à quelle page te rendre afin de continuer ton aventure et d'obtenir un indice du clown pas drôle.

Page 19

Sur quelle structure
super Bobbi doit-il
sauter pour se rendre
au prochain niveau
de son aventure?
ICI?
Va à la
page 10.
ICI?
Va à la
page 35.
ICI?
Va à la
page 23.

Félicitations!

Est-ce la «maison en thé» de Mimi Bouh?
Si tu crois que c'est de cette façon que cela s'écrit, va à la page 15.

Est-ce plutôt la «maison hantée» de Mimi Bouh?
Va dans ce cas à la page 33.

Méga cool!
Maintenant,
il y a 3 différences
entre ces 2 cubes.
Lorsque
tu les auras
trouvées,
tu pourras
alors
retourner
à la page 2.

Dans quelles boîtes roses dois-tu enfermer ces petits monstres verts?

Dans les boîtes «A» et «C»? Va à la page 25.
Dans les boîtes «B» et «C»? Va alors à la page 29.

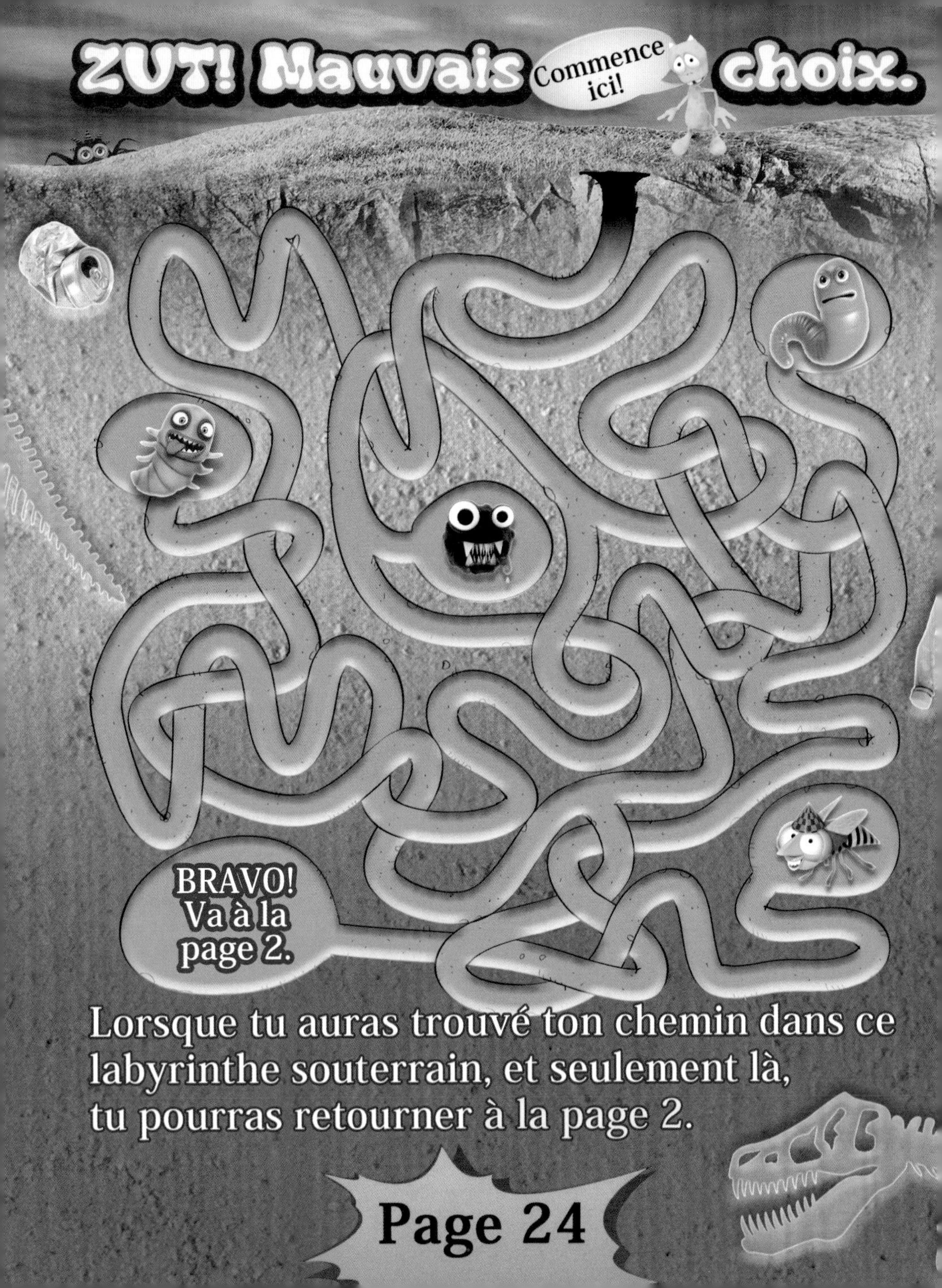
ZUT! Mauvais choix.
Commence ici!
BRAVO! Va à la page 2.
Lorsque tu auras trouvé ton chemin dans ce labyrinthe souterrain, et seulement là, tu pourras retourner à la page 2.
Page 24

MAUVAISE RÉPONSE!
Parce que tu t'es trompé, la méchante Mimi Bouh va cacher ses 3 amis vers de terre dans ta boîte à lunch de l'école...
MAUVAISE FIN
Page 25

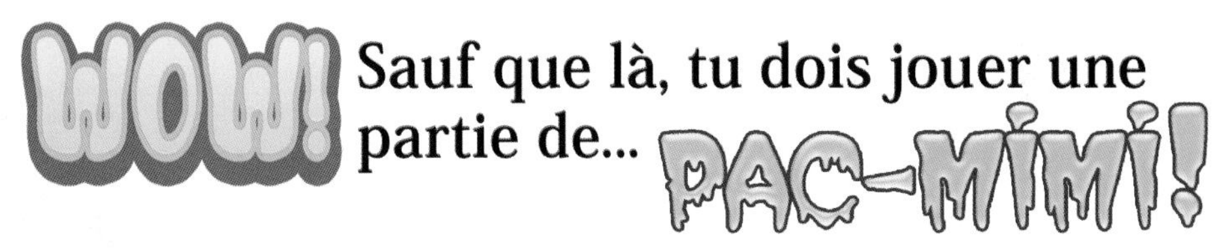

WOW!
Sauf que là, tu dois jouer une partie de... PAC-MIMI!

COMMENT? C'est simple. Bobbi doit se rendre à l'arrivée sans se faire attraper par les monstres.

Pour cela, dois-tu le faire avancer sur le jeu de 3 points par en haut, 3 points vers la droite, 2 points par en bas, 4 points vers la droite, 3 points par en haut et 5 points vers la droite? Si tu crois que c'est la bonne séquence,

va à la page 14.

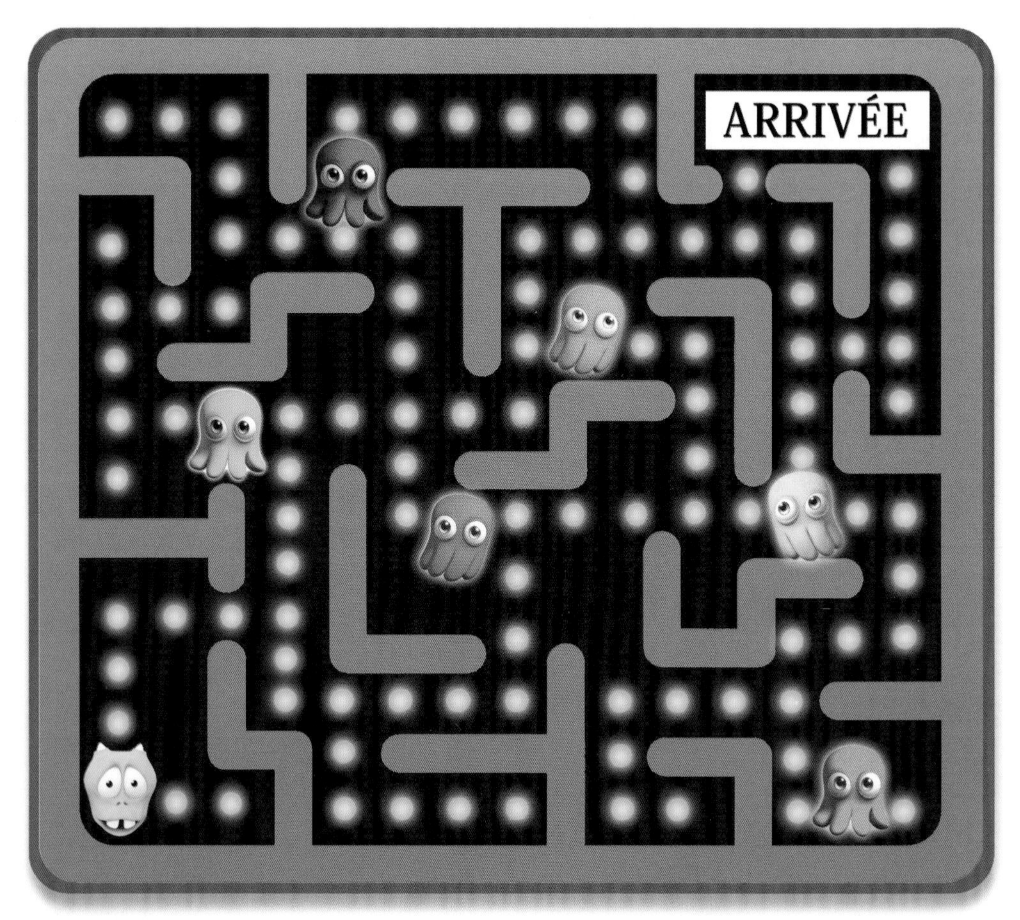

Ou dois-tu plutôt faire avancer Bobbi sur le jeu de 3 points par en haut, 3 points vers la droite, 4 points par en haut, 4 points vers la droite, 3 points par en haut, 4 points vers la droite et enfin 2 points par en haut? Si tu crois que c'est cette séquence qui est plutôt la bonne,

va à la page 31.

Bien joué! Sauf que, maintenant, tu fais face à un mauvais-homme de neige... EN PLEIN ÉTÉ! C'est un vrai cauchemar. Il neige, en plus!
Combien de SORTES de flocons y a-t-il dans le ciel?
Si tu penses qu'il y en a 7, va à la page 22.
Si tu crois qu'il y en a 9, va à la page 16.
Page 28

... maintenant, vu que papa monstre et maman monstre ne trouvent plus leurs petits, ils ont décidé de vous adopter, Bobbi et toi. Retourne à la page 2.

Rends-toi vite à la page 36, avant que Bobbi
et toi ne vous noyiez dans les larmes
de Mimi Bouh.

Bien joué! Sauf que, maintenant, Mimi Bouh a barré la clôture du parc. Bobbi et toi ne pouvez plus partir. Dans quel sens dois-tu tourner la manivelle verte pour ouvrir cette porte?

Si tu veux tourner la manivelle du côté de la flèche mauve, va à la page 21.

Si tu veux tourner la manivelle du côté de la flèche bleue, rends-toi à la page 24.

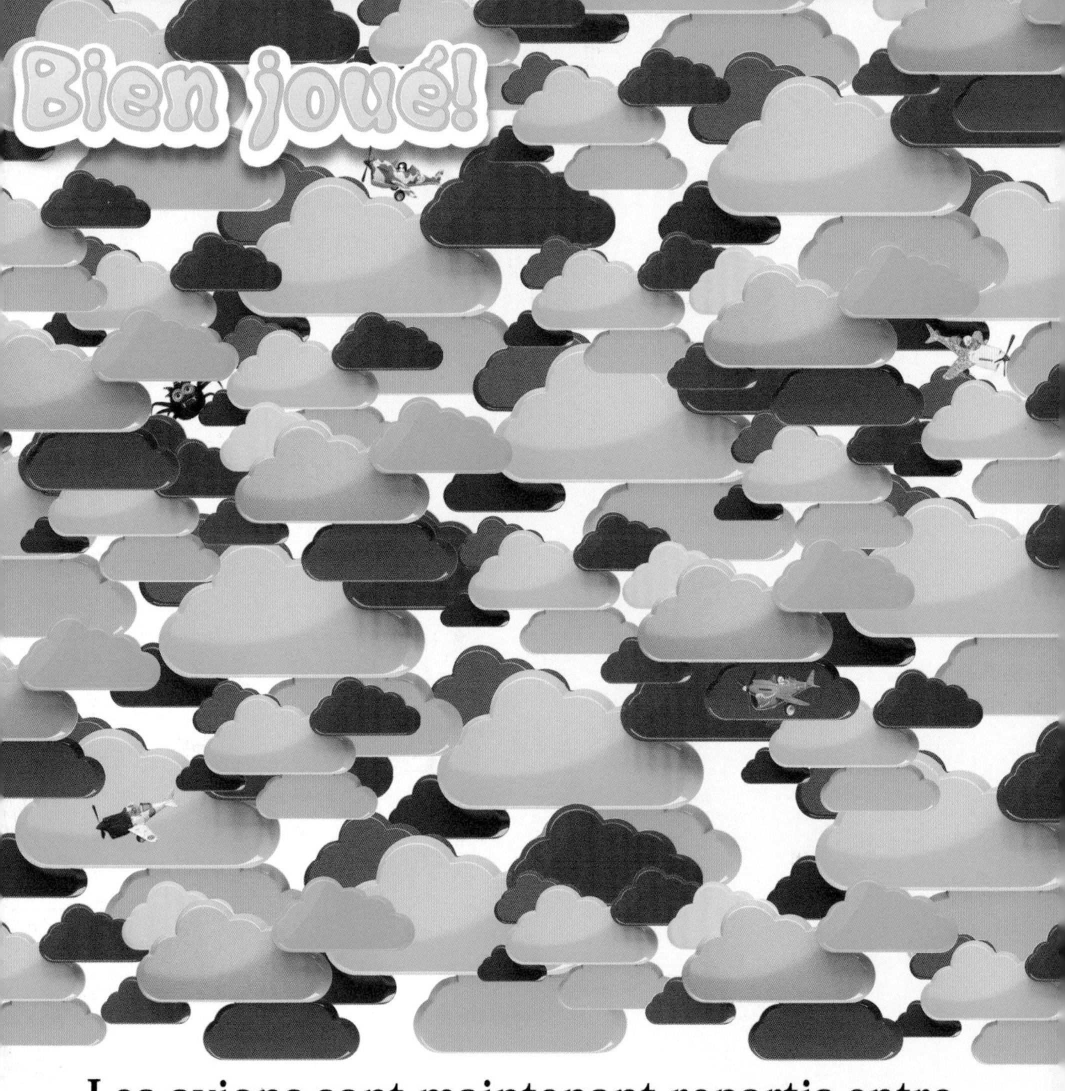

Les avions sont maintenant repartis entre les nuages. Trouve-les tous les 4 et, ensuite, retourne au numéro 2.

1 2 3 4

Page 32

C’est seulement lorsque tu entres dans la maison que tu comprends pourquoi Mimi Bouh est si méchante. C’est parce qu’elle pense qu’elle n’a pas d’amis...

Bobbi et toi, vous allez lui montrer qu’elle se trompe.

Allez à la page 30.

ALORS!
Tu aimes rire?
Eh bien, ris ici
un bon coup et,
ensuite,
retourne
à la page 2.

OH NON!

En sautant sur la structure, vous avez ouvert la porte et libéré tous les vilains minous de Mimi Bouh.

Si tu penses qu'il y a plus de vilains minous à droite, va à la page 18.
Si tu crois qu'il y en a plus à gauche, va à la page 4.

BRAVO! Tu as réussi à terminer cette aventure! Maintenant, amuse-toi avec tes nouveaux amis au parc...
FIN

About SLIPSTREAM

Slipstream is a series of expertly levelled books designed for pupils who are struggling with reading. Its unique three-strand approach through fiction, graphic fiction and non-fiction gives pupils a rich reading experience that will accelerate their progress and close the reading gap.

At the heart of every Slipstream graphic fiction book is a great story. Easily accessible words and phrases ensure that pupils both decode and comprehend, and the high interest stories really engage older struggling readers.

Whether you're using Slipstream Level 1 for Guided Reading or as an independent read, here are some suggestions:

1. Make each reading session successful. Talk about the text or pictures before the pupil starts reading. Introduce any unfamiliar vocabulary.

2. Encourage the pupil to talk about the book using a range of open questions. For example, how would they feel if they were trapped in a cage like Jed and Tia?

3. Discuss the differences between reading fiction, graphic fiction and non-fiction. What do they prefer?

Slipstream Level 1 photocopiable **WORKBOOK**
ISBN: 978 1 4451 1609 9
available – download free sample worksheets from: www.franklinwatts.co.uk

For guidance, SLIPSTREAM Level 1 – Alien Cage has been approximately measured to:

National Curriculum Level: 2c
Reading Age: 7.0–7.6
Book Band: Turquoise
ATOS: 1.5*
Guided Reading Level: H
Lexile® Measure (confirmed): 200L

***Please check actual Accelerated Reader™ book level and quiz availability at www.arbookfind.co.uk**